Entre Loire et forêt

Authion, Jardin d'Anjou

Illustrations de Pascal Proust
Textes de Michel Pateau

Le Polygraphe, éditeur

Petite soeur de la Loire, au cours parallèle, l'Authion prend naissance en Touraine et finit son destin aux portes d'Angers. Mais la rivière dessine les contours et les rivages de l'âme angevine, province d'eau s'il en est.

Pour tout le monde, cette longue bande de terre de quatre-vingts kilomètres entre Loire et forêt est devenue "la vallée" par excellence. "Petite Hollande" piquetée de bosquets protégeant des maisons basses aux lucarnes ciselées, riches terres alluviales où prospèrent les graines, les légumes, les fleurs et les vergers, la vallée est encore habitée par la mémoire des crues, poussant devant elles des générations de paysans ligériens. On a édifié des levées, recalibré la rivière, construit une station de pompage. Et la vallée s'est remise à vivre, lançant ses boules de fort sur les pistes sinueuses et cultivant les charmes d'un plat pays, le nôtre...

Entre Loire et forêt
Authion, Jardin d'Anjou

Illustrations de Pascal Proust
Textes de Michel Pateau

Le Polygraphe, éditeur

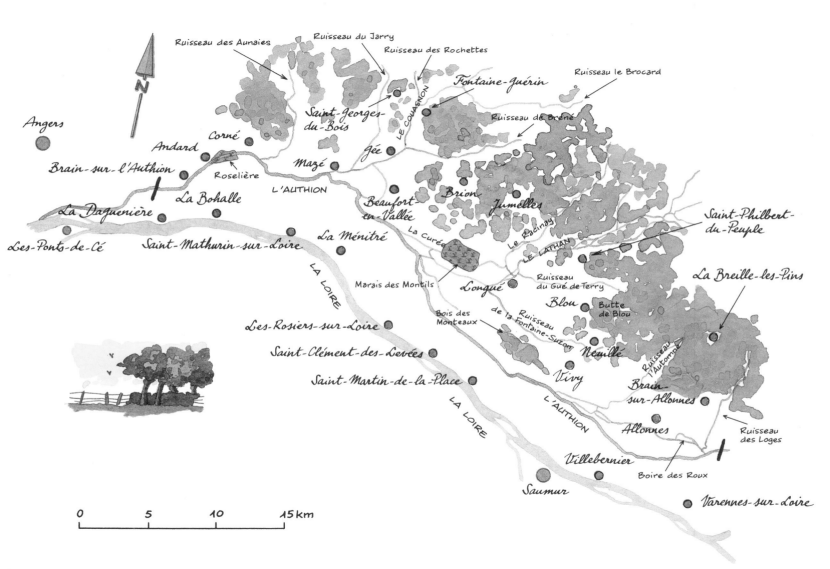

Je songe à la silhouette voûtée du Gas Mile, poète paysan d'ici :
"Arrêt'vous, l'mond'! Faisons ein'pause. R'garder, c'est point du temps pardu."
Elle est étroite, cette vallée (seulement une dizaine de kilomètres) mais semble s'étendre
à l'infini sous un ciel immense. De Brain-sur-l'Authion à Brain-sur-Allonnes,
le paysage est presque immuable : le long ruban de la levée, le troupeau des maisons
de tuffeau qui s'égrènent au bord, les jardins fleuris et les régiments serrés
de peupliers, l'air frais toujours sur la joue. Cette vaste étendue sauvée des eaux
(vingt-deux barrages!) est un polder malicieux et parfois radical.
L'orgueilleuse façade du château y surprend, rompant avec la modestie des maisons,
dont presque rien ne distingue l'artisan, le maraîcher ou l'employé prospère.
Une discrétion qui est une politesse rendue à la vallée et à son air si léger.

4

Premier séjour
Des portes d'Angers
aux rives du Couasnon

Le port

Brain-sur-l'Authion.
Le décor est déjà en place : les maisons bien
nettes, la rivière aux berges hautes, la douceur
de l'air... Les saules ont longtemps servi
à fabriquer des échelles à perreyeurs.
Ils venaient s'y fournir dès l'aube les jours
de marché. Avant qu'un certain Danton
ne s'intéresse au village. Ingénieur, il y exploita
une mine de fer à la fin du siècle dernier.

*Barques
sur l'Authion*

palmier

serre

parapet du pont

Dans le bourg, cette belle maison... un concentré de la douceur de vivre :
près du parapet, le palmier : pour être exotique,
l'arbre n'est pas si insolite en terre angevine.
Avec la petite serre, il donne un air de fête, ambiance très "schiste".

Rosalie raffole des frênes et des saules dont les souches lui sont douces. Heureusement pour elle, la rosalie des Alpes (tel est le nom officiel de notre "longicorne") bénéficie d'une protection européenne. Fuyez, insecticides de toute sorte !

Andard est un ancien petit gué de l'époque gallo-romaine.
Mais le paysage a-t-il toujours été si paisible ?
Là, dans cette douve sur les rives de l'Authion, nos preux anciens s'usaient le dos pour rouir le chanvre.
Le chanvre angevin (pas indien...) alimentait, entre autres, la vorace corderie Bessonneau à la ville toute proche.

En revanche, le bruant des roseaux n'a guère de compassion pour les insectes. C'est la vie. Aurai-je la chance d'admirer son élégante livrée blanche, brune et noire ?

Le martin pêcheur, insaisissable mangeur de poissons au long bec fin, préfère les abords des rivières et des ruisseaux.

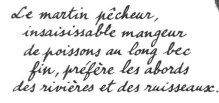

♂

Rive droite

Chemin du pré des coulées

Rive gauche

La roselière d'Andard (2,8 ha) est un site dortoir et de nidification pour les oiseaux paludicoles.

Le long d'un chemin de Corné, ce long mur de clôture, fait de pieux d'ardoise :
impressionnant mille-feuilles de schiste, ce témoignage du filon ardoisier
de l'"Anjou noir" est un bel exemple d'utilisation du matériau naturel local...
et ça a plus d'allure que du parpaing !

En aval, un barrage assure
l'irrigation des terres agricoles.
Je fais connaissance
avec l'hydraulique de la vallée :
de part et d'autre du pont,
l'eau circule dans des canaux
ou fossés : ces "routoirs"
ont pour mission de drainer
les terres basses.

Grâce au pont de Corné,
lui aussi tout d'ardoise vêtu,
la route de Saint-Mathurin
enjambe l'Authion. Ce n'est
pas Arcole, mais Tivoli,
bien plus pacifique.

Au début du siècle, le chanvre séchait aux abords de chaque village
de la vallée. Aujourd'hui, les "cribs" de bois attendent leur ration de maïs.
Les épis dorés ont colonisé, avec le tournesol, la plupart des terres
et les semenciers ont peu à peu supplanté les petits maraîchers,
comme ici à Saint-Mathurin. Mais ils ont de l'allure, ces longs séchoirs
au bord des grands champs. Une heureuse ponctuation,
combien plus belle que la tôle ondulée !

Chemin pavé en grès

St-Mathurin, abreuvoir communal, vivier (Belle-Noue).

Le chemin du marais est joliment pavé de grès. Le pont-barrage rappelle la nécessité de maîtriser l'eau dans ce vaste polder quadrillé de rus et de ruelles.
Sauvé des eaux, Saint-Mathurin ?
Au XIVe siècle, ce n'était qu'un hameau perdu au milieu des marécages et des prairies inondables. Il faudra aux habitants près de 400 ans pour voir le grand ciel et un peu de prospérité.
Où sont les géants de la forêt ancienne ?

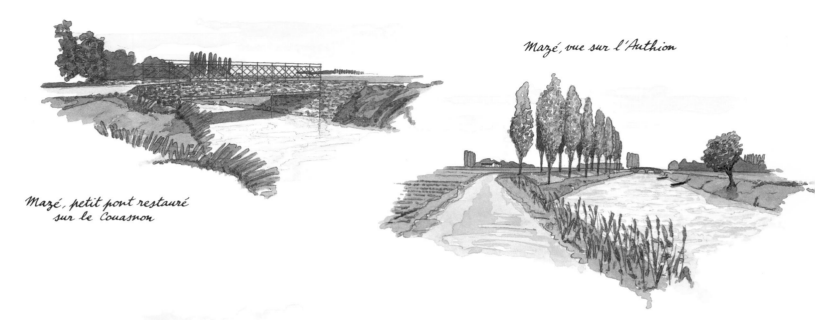

Mazé, vue sur l'Authion

Mazé, petit pont restauré
sur le Couasnon

Au bout de la rue Bauné, je tombe sur
la maison d'Émile Joulain, le Gas Mile,
grand poète paysan de l'Anjou.
Le recueillement s'impose. L'auteur
des <u>Filles de la Louère</u> a vécu là, au bord
d'un de ces chemins juste assez larges
pour une brouettée de carottes.
Celles de Mazé étaient
célèbres jusqu'à Bordeaux !

N'est-il pas délicieux, ce "pavillon de l'amour" dans le parc du château de Montgeoffroy ? Le temps semble s'être arrêté sous les arbres. Quant au château, il a traversé le temps, intact. Avec ses boiseries, son mobilier et sa famille, la même depuis que le maréchal de Contades a décidé la construction de sa propriété angevine en 1772. Montgeoffroy est toujours habité par la grâce et l'harmonie du XVIIIe siècle.

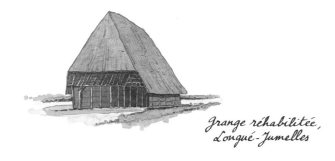

Grange réhabilitée,
Longué-Jumelles

Peu à peu, les charmes secrets de la vallée m'ont saisi l'âme - comme happée par
l'un de ces carrelets de pêche qui se balancent avec grâce au-dessus de la rivière.
Ce deuxième séjour va me mener des rives du Couasnon à celles du Lathan,
là où le XVIIe siècle a dessiné les méandres amoureux de la carte du Tendre,
chère à Mme de Scudéry. Douce et étrange vallée... La main du diable,
dit la légende, y aurait tordu quelques clochers, comme celui de Fontaine-Guérin.
Lui doit-on aussi le parcours tortueux de la boule de fort, jeu tellement angevin
avec sa piste pas plate, ses boules pas rondes mais ses verres bien pleins ?
Je songe à ce bon conteur, Joseph Pineau, spécimen "vallerot" à la plume malicieuse
qui plaint sincèrement "ceux qui n'ont jamais aperçu, dans les brumes matinales
de la belle saison, une fée toute gracieuse sortant de sa boire endormie pour allumer
sur l'étendue des campagnes le clair sourire du soleil."

Deuxième séjour

Des rives du Couasnon
à celles du Lathan

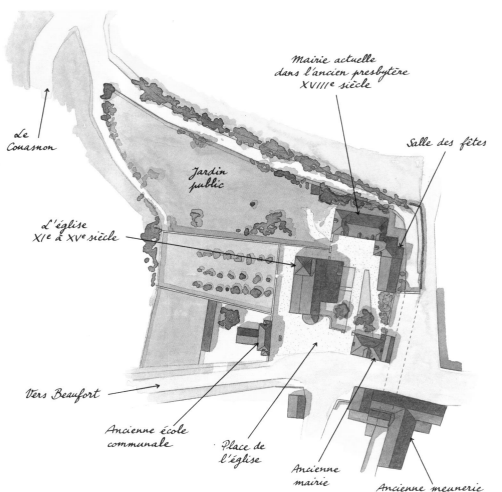

Le Couasnon

Mairie actuelle
dans l'ancien presbytère
XVIIIe siècle

Salle des fêtes

Jardin
public

L'église
XIe à XVe siècle

Vers Beaufort

Ancienne école
communale

Place de
l'église

Ancienne
mairie

Ancienne meunerie

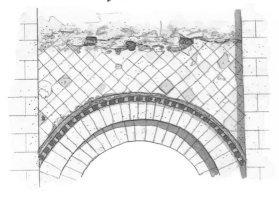

Église de Gée :
le tympan roman

Lorsque les urbanistes ruraux
s'en donnent la peine, ils peuvent
raviver l'harmonie de nos villages,
si modestes soient-ils.
Ainsi du joli centre-bourg de Gée :
église, mairie, jardin public ;
rien ne manque au bonheur.
Émile Joulain aurait parlé de Gée
en ces termes : "Mon verre est bien
petit, mais je bois dans mon verre."
Ça, c'est envoyé !

18

À Fontaine-Guérin, je m'attendrirais
volontiers devant ce joli puits adossé
à un mur. Image paisible mais trompeuse.
L'histoire du pays est en effet bien
mouvementée entre l'ardent sire Guérin,
qui mit la pâtée aux "Anglois" pendant
la bataille du Vieil-Baugé,
et une jacquerie paysanne retentissante
au cours de laquelle le curé fut noyé.
Événements dont la mémoire populaire
garde le souvenir.

Que dire alors
de ce surréaliste clocher
vrillé, fruit de la facétie
d'un charpentier
"démoniaque..."

À Saint-Georges-du-Bois,
j'emprunte ce petit passage voûté
le long de l'église, corridor secret
menant peut-être à l'un des nombreux autres Saint-Georges
de France, qui fêtèrent naguère leur grande famille
chez la petite sœur angevine !

Qu'il fait bon s'attarder sur le parquet sonore d'un musée du bon vieux temps.
On en parcourt l'espace avec respect et dévotion, comme s'il s'agissait d'une église.
À Beaufort-en-Vallée, le musée Joseph-Denais, savant bric-à-brac,
insolite et hors du temps, abrite traces et parfums des exotiques passions
d'un collectionneur du siècle dernier. Le musée contiendrait 9000 objets
amassés dans le but d'"éduquer la population". O tempora, O mores !

Sur l'emplacement d'un ancien oppidum gallo-romain,
les ruines du château-fort de Beaufort-en-Vallée
procurent le frisson. Légitime émoi si l'on songe
à son premier bâtisseur, au XIe siècle, Foulques Nerra.
La prospérité liée à la manufacture royale de toiles
à voile, puis aux riches grainetiers du XIXe siècle,
a marqué la cité de nombreuses traces :
les halles imposantes et des porches monumentaux
qui s'ouvrent sur des cours pavées lui donnent
une allure de capitale. Autrefois, quand ils se rendaient
à Beaufort, les paysans disaient
qu'ils "montaient à la ville".

Les Halles
de Beaufort-en-Vallée

21

La boule de fort,
jeu roi de la vallée

Société de l'Union,
Brion.

De loin, on dirait quelque élevage de volaille. Mais, à y regarder de plus près, quels sublimes lieux de vie que ces sociétés d'agrément ! Approchons-nous et tendons l'oreille. D'étranges rumeurs et des chocs sourds retentissent : "Vas-y mignonne... Rentre, mais rentre donc !" Ainsi va la boule de fort, à Brion comme ailleurs (on recense 67 sociétés en vallée de l'Authion !). L'Angevin enfile ses douillets chaussons pour entrer dans un autre monde... Celui des amis et de la convivialité.

Les chaussons obligatoires

La Fanny du jeu l'Union
due à André Jambert (17 mars 1918).

Brion revendique également la plus grosse boule de fort
du monde : 182,720 kg et 83,44 cm de diamètre.
Elle est la vedette du challenge des "Biseux de cul", qui réunit dans
une compétition consolatrice tous les perdants. Un pèlerinage, en somme.
On y fait, tête basse, repentance : "Oui, un jour de malchance, dedans
ma société, ma boule m'a trahi et j'ai bisé Fanny..."
J'aime aussi cet hommage populaire affiché à la société L'Union :
"Ô Nudité superbe !... Adorable Déesse,
Permets que devant toi, je me jette à genoux,
Que je pose humblement un baiser sur ta fesse
Pour que vers mon foyer, je m'en retourne absous."

L'accorte Fanny est née de la fantasmatique
bouliste. On lui pose un délicat baiser
sur l'arrière-train quand on perd la partie :
jadis, un drôle de défi à l'Église.
Mgr Freppel, évêque d'Angers
entre 1873 et 1893, avait imposé à ses ouailles,
dans les jeux d'obédience catholique, d'utiliser
l'expression pudique : "aller à Brion",
à la place de "biser un cul".
Brion est en effet la patrie de Fanny.
Ici, on en est plutôt fier.

De passage à La Ménitré. On arrose le maïs
à qui mieux mieux. Ça boit autant qu'un bouliste
un soir de liesse, cette plante-là ! Je songe encore
au vieux Gas Mile, qui a vécu les profondes
mutations de sa vallée natale :
"Nout' campagn', pour ét' pûs jolie,
s'met des couleurs sû l'pus p'tit champ..."
Les champs sont maintenant atteints
de gigantisme.

Mais voici la silhouette familière du moulin "Goislard",
près de Vilmorin, signal fort de la vallée fleurie, et celle du beau manoir
de Jeanne de Laval. Le roi René, ce polisson, aimait y jouer au berger et à la bergère
avec son épouse, la reine de Sicile. C'est là aussi que Jeanne de Laval confirma à tous
ses féaux chargés d'entretenir les levées leur "droit de pâturage, sur toutes les terres vaines
et vagues, froux, pâtis et marais..."
On ne leur dira pas deux fois.

Ah ! la paisible harmonie de la vallée : arbres
en bouquets, peupliers élancés vers le ciel et lumière
vibrant sur les toits d'ardoise.
Élégante ponctuation du paysage, le moulin
des Basses-Terres, aux Rosiers-sur-Loire,
est un magnifique spécimen de moulin-tour
dont les grandes ailes blanches comme des coiffes brillent
au soleil. Ces ailes Berton, parmi les plus
impressionnantes de l'Anjou, aspirent le vent
jusqu'à 21 mètres au-dessus du sol. Elles tournent toujours,
ces ailes. Et le moulin se visite sur rendez-vous.
Dire que sur les 107 moulins à vent qui, autrefois,
brassaient l'air de la vallée, il n'en reste que 25...
Mais quel spectacle !

Belle porte éclusière à la sortie du vieil
Authion, aux Rosiers-sur-Loire. Ne dirait-on
pas quelque ouvrage romain oublié...?

À Longué-Jumelles, je découvre la singulière promenade des lavoirs, sur le vieux Lathan. Elle se mérite, cette rivière : si vous traversez l'agglomération trop rapidement, vous ignorerez tout du Lathan, au nom évocateur de rites joyeux.

Tentez donc le pique-nique sur ses rives piquetées de peupliers.

Ancienne ville romaine, Longué s'étire au passage des nombreux bras de cet affluent de l'Authion. Bonne idée d'avoir remis en état le réseau des lavoirs, désormais silencieux, habitués qu'ils étaient au caquetage joyeux (mais pas toujours bienveillant) des lavandières d'antan, mères Denis non mécanisées.

Les lavoirs étaient utilisables toute l'année, grâce à un système ingénieux qui s'adaptait au niveau des eaux.

Vers l'ouest, près de Longué-Jumelles, s'étend
un espace mouillé : le marais des Montils...
ou du moins ce qu'il en reste : des bataillons de peupliers
en pompent l'eau voracement. Le long des chemins élargis,
les chênes têtards accueillent comme ils peuvent
les oiseaux ; la gent ailée a trouvé asile
dans ces anciens marécages, paysage
sauvage en sursis que l'homme commence
à conquérir. L'eau serait-elle
un nouveau pétrole ?

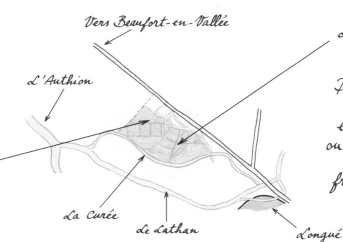

Vers Beaufort-en-Vallée

L'Authion

La chouette chevêche
(envergure : 54-58 cm)
et son habitat :
le chêne têtard.

La Curée

Le Lathan

Longué

La pie-grièche "écorcheur",
oiseau migrateur
(envergure : 28 cm).
Particularité : se constitue
un garde-manger
en utilisant les ronces
ou les barbelés pour retenir
ses proies. Habitat :
friches, pâturages bordés
de haies.

Le moulin Rivière
à Saint-Philbert-du-Peuple

Incroyable, le nombre de moulins à eau qui s'égrènent comme un rosaire sur le cours du Lathan ! À l'instar des maisons baugeoises, ils sont coiffés de tuile plate à l'est, et d'ardoise à l'ouest. Pas moins de 31 moulins ont été recensés. Ils fonctionnaient presque tous en 1862. Aujourd'hui, un seul est en activité.

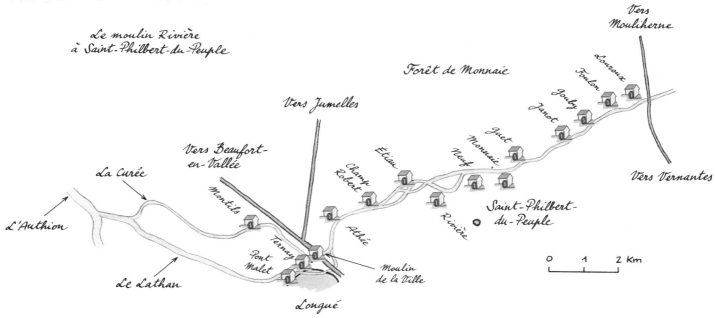

Les moulins à eau sur le Lathan (partie).

La plaque d'assurance
"La Providence".

Aux portes du Baugeois,
les grands pins maritimes
de Saint-Philbert-du-Peuple
se balancent au gré du vent.
Le sable, lui, est propice
à la culture des bonnes asperges
angevines, et les acacias au miel
délicatement parfumé.
Au programme, chemins et parfums
boisés : la vallée m'étonnera toujours.

La façade de l'église de Saint-Philbert-du-Peuple
en impose avec son pignon échelonné, mais un regard
de côté en atténue la majesté : elle est tout de même
plaisante et un brin iconoclaste, cette plaque d'assurance
"La Providence" clouée sur l'un des contreforts
de l'église, à droite du beau portail roman.
Avec cette publicité, l'astucieux assureur s'est
pris pour le bon Dieu. Deux anges passent
(regardez, vous comprendrez).

Dernier séjour de notre voyage. Depuis les grands aménagements hydrauliques des années soixante-dix, la vallée accueille horticulteurs et maraîchers chassés par l'urbanisation galopante d'Angers. Les bonnes terres alluviales se prêtent aux graines : ici fleurit désormais l'alstroemeria, fleur des Incas, qui a trouvé asile sur les bords de Loire. Une Loire sans frontière, dont le vieux nom romain "Liger" évoque aussi le Niger... Mais la vallée est surtout un jardin.
"Si la Touraine est le jardin de la France, écrivait Le Moy dans la première partie du siècle, l'Anjou en est le digne prolongement."
Partout l'on respire ces terres généreuses et légères, propices aux semences.
Graines, fleurs et céréales ont fait reculer l'ancestrale culture du chanvre.
Les longues maisons de verre, un peu partout, accrochent le soleil.
La vallée est en train de changer.
Attention à ne pas en bousculer trop l'harmonie virgilienne.

Une spécialité de la vallée :
le bâton "enseigne"
devant les maisons
(ici, un producteur
d'asperges).

Troisième séjour
Des rives du Lathan
aux portes de la Touraine

La tour de l'horloge
du château de la Poupardière,
à Saint-Martin-de-la-Place
(alternance de tuffeaux
gris et jaune).

Vive la République
LE PROGRÈS et la LIBERTÉ
Et Respect aux Idées
L.V. de la Deboiserix

Profession de foi républicaine,
à Saint-Martin-de-la-Place.

La grange Cunault,
à Saint-Clément-des-Levées

Pompage dans l'Authion,
servant à l'arrosage des cultures.

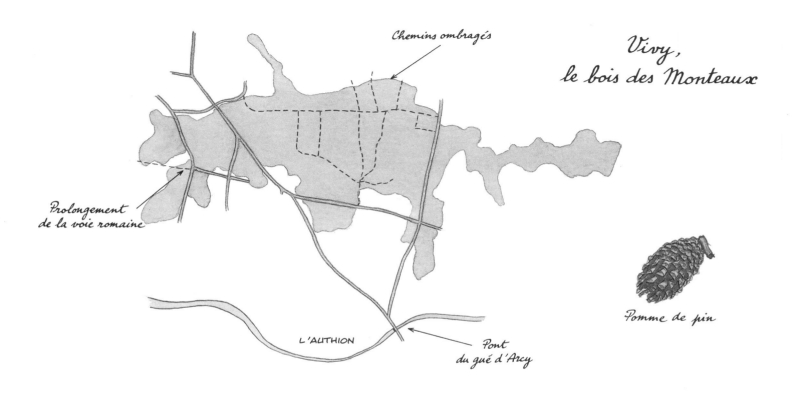

Chemins ombragés

Vivy,
le bois des Monteaux

Prolongement
de la voie romaine

Pomme de pin

L'AUTHION

Pont
du gué d'Arcy

Ce "bois" de près de 240 hectares est le plus grand massif forestier de la vallée :
les grands pins maritimes ne pleurent plus, comme jadis, leur résine
au profit des fabriques de savon. Aujourd'hui, le Marché d'intérêt national rythme la vie
de cette très ancienne cité, qui a poussé sur les bords de la voie romaine, aux portes de Saumur.
De trente kilomètres à la ronde, les maraîchers apportent asperges, fraises et autres produits
du terroir. Un carrefour d'asperges, mmh ! Avec un rosé d'Anjou, par exemple.

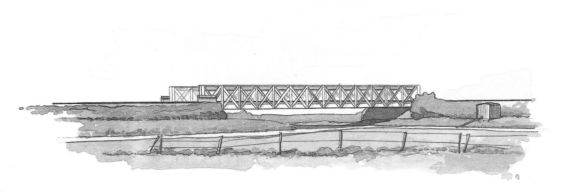

Vivy, le pont de fer.
L'Authion se sépare ici
en plusieurs bras; Vivy
aussi, avec ses deux bourgs,
l'ancien et le nouveau,
dont les maisons sont
alignées le long de la route
nationale. Même le cimetière
a été déménagé.

À l'écart de la rumeur de la grand-route, les rives de l'Authion.
Un coup d'œil sur l'ancien manoir de la Présaie (XVᵉ-XVIᵉ siècles).
Hélas, un incendie l'a en partie ruiné en 1983.

Sous les longues maisons de verre, il n'y a plus de saison.
Les ordinateurs déclenchent automatiquement les brumes pluvieuses et décident de l'heure
précise où s'allumeront les soleils artificiels des lampes à photosynthèse. L'économie vallerote
se réchauffe désormais sous l'effet de serre, dans le bon sens du mot. Le nouvel eldorado rêvé
par Edgard Pisani dans les années soixante — il voyait des légumes et des fleurs décoller
de la vallée pour partir à l'assaut du monde — n'est peut-être pas encore tout à fait
au rendez-vous. "L'aventure de l'Authion aurait mérité qu'on écrive un roman",
a-t-il confié un jour. Les agriculteurs, maraîchers et horticulteurs écrivent, eux,
les pages de l'histoire moderne. 70% de la surface horticole angevine prospère aujourd'hui
dans la vallée, à l'intérieur des serres ou en plein champ. Bien d'autres producteurs sont venus
bénéficier de ce vaste territoire sauvé des eaux : aux champs d'échalotes, d'asperges et de petits
légumes se sont ajoutées de grandes étendues de maïs-semence.
La semence ? c'est elle qui a connu le plus fort développement dans l'économie agricole
vallerote. Les aménageurs avaient vu juste, ils ont planté la bonne graine...

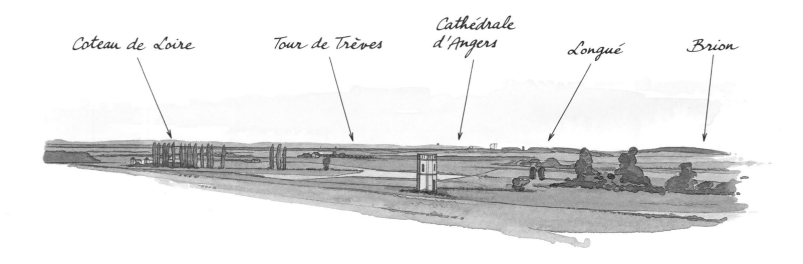

Coteau de Loire

Tour de Trèves

Cathédrale d'Angers

Longué

Brion

Le panorama vu de la butte de Blou.
Dès la sortie de Blou, en direction de Neuillé, le spectacle est grandiose.
Angers, au loin dans la brume de l'horizon ; plus proche de nous, la tour romane
de Brion, le beffroi de Beaufort, la flèche Saint-Eusèbe de Gennes.
Blou est l'une des localités les plus anciennement habitées de l'Anjou.
Peut-être parce qu'elle est en hauteur : 109 m au-dessus du niveau de la mer,
sur notre plat pays vallerot, c'est une montagne. La butte de Blou est le point
culminant de toute la région. L'ascension s'impose, comme celle de la butte
de Gennes qui, sur l'autre rive de la Loire, borde le bleu sillage du fleuve.

Fronton
de la grille
d'entrée

Que se passe-t-il vraiment
dans la cave au diable, dont l'entrée,
en pierre appareillée, émerge
étrangement d'un champ cultivé ?
Bizarre, bizarre...

Poulailler d'agrément,
au château du Goupillon

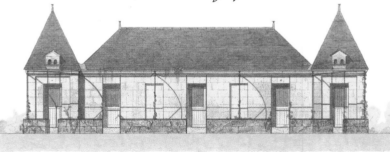

À Neuillé, je m'incline devant
le magnifique châtaignier du Brulis.
Il a, dit-on, plus de mille ans.
Son vénérable tronc a une circonférence
de 10,60 m. Si on pouvait lire l'histoire
dans ses entrailles boisées, que d'émoi !
Il a dû en voir, l'ancien.

Quels obscurs maléfices a bien pu engendrer la "fontaine bouillonnante"
de La Breille-les-Pins ? Mystères des grands bois. Je songe à la belle histoire
de l'abbé Mondain, curé de l'endroit à la fin du XIXe siècle.
Souhaitant construire un orphelinat, il lui vint l'idée de cultiver des asperges.
Et il fit si bien que sa variété, l'asperge de La Breille, récolta 11 médailles
aux expositions agricoles. Grâce aux liliacées, il put faire construire son orphelinat !

Aux avant-postes du plateau baugeois, voici l'étang et le château des Hautes-Belles.
Le massif de résineux, la lande et les étangs font penser à une petite Sologne angevine.
Dans la nuit néolithique, sur le territoire de La Breille,
se dressait une grosse pierre. Le "menhir de la Mère Michel",
terrassé par le temps qui passe, est aujourd'hui couché.
Les gourmands pourront aussi visiter les ruchers de la commune :
on y produit un miel d'acacia réputé.

Dans la petite chapelle de Russé
(XVIIe), à Allonnes, on vénère une très ancienne Piéta.
L'Authion se pare de grâces bocagères. Restons sur nos
gardes : la crue de 1856 atteignit une hauteur de 2 à 3 m.
En 1710, ce fut plus terrible encore :
plus de 2000 animaux périrent
noyés.

À Allonnes, le lavoir
sur l'Automne disposait d'une
pièce avec cheminée pour faire
bouillir le linge.

Une jolie
pompe
à eau
à Allonnes.

Quelle élégante échauguette.
On peut l'admirer sur un angle de l'oratoire élevé
dans la cour d'honneur du manoir de Launay,
à Villebernier.
Comme bien d'autres, il s'agissait
d'une "maison de campagne" pour le roi René.
Ses murs sont à peine meurtris :
on y respire encore la même atmosphère paisible
que le monarque angevin. René n'aimait
que la guerre en dentelles, celle des tournois.
Princes et chevaliers accouraient au château
de Villebernier, où s'en donnaient de fort
réjouissants. "Montée sur une haquenée blanche,
raconte le chroniqueur, une jeune fille guide
par une longue écharpe le cheval royal
magnifiquement caparaçonné..."
Très riches heures de Launay...

41

Pas plus angevin que le moulin du Champ
des Isles, à Varennes-sur-Loire.
Construit à la suite d'une dette de jeu en 1822
et fraîchement restauré, il est l'un
des 11 "caviers" du village qui, jadis,
brassaient le courant d'air des basses terres.
Le dernier meunier était un marinier
reconverti... Comment gagner son pain
avec le vent de Loire.

Relevé des vents par Mathilde Tortu,
petite-fille de marinier et meunière du moulin
du Champ des Isles (milieu du XIXe siècle).

Nord-ouest
Galerne.
Le vent de galerne est
traître avec ses coups
de vent brutaux.

Nord
Bastille

Pour les moulins à vent,
bon vent régulier,
30 à 40 km/h,
de 22 h à 5 h du matin.

Nord-est
Bise

Ouest, _Mer_
vents forts
tempêtes, souvent
80 à 90 km/h

Est
Martineau
se tourne vite
en Soulaire

Sud-ouest
Basse-Mer

Sud-est
Soulaire,
temps à l'eau.

Sud
Travers de Mer,
pluies, bourrasques,
orages.

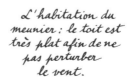

L'habitation du
meunier : le toit est
très plat afin de ne
pas perturber
le vent.

Ne quittons pas Varennes sans passer sous le généreux châtelet d'entrée,
parfaitement conservé, du manoir de Champfreau (fin XVᵉ siècle).
Il abrite encore dans sa partie haute 300 trous de boulins; autrement dit,
une très accueillante fuye à pigeons. En ce temps-là, manger du pigeon tous les jours
était un privilège. Mais les grands seigneurs en avaient peut-être plus qu'assez
de consommer ce volatile; comme les paysans des bords de Loire, qui se lassèrent
du saumon qu'on leur servait à tous les repas...

Salles d'habitation

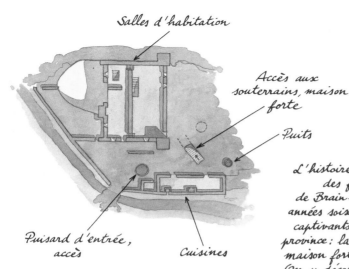

Accès aux souterrains, maison forte

Puits

Puisard d'entrée, accès

Cuisines

Pavage médiéval trouvé dans les salles d'habitation (éléphant avec palanquin).

Détail de l'écorce d'un platane

L'histoire locale résonne encore du choc des faucilles des collégiens de Brain-sur-Allonnes qui, dans les années soixante, révélèrent l'un des plus captivants sites archéologiques de notre province : la "cave peinte", vestige d'une maison forte des XIIIe et XIVe siècles. On y découvrit près de 15 000 carreaux de pavage. Pourtant, les anciens avaient mis en garde les jeunes découvreurs : "Faites attention, c'est plein de trous !"

Brain-sur-Allonnes, la fontaine Saint-Maurille. Elle est alimentée par 26 sources et sa température est en permanence à 13°C.

L'allée boisée du château de la Coutancière, où ce sacripant de Bussy d'Amboise "chassait la biche"... la femme du comte de Montsoreau. Il le paya de sa vie, mais c'était un triste sire. Alexandre Dumas prit des fantaisies avec l'histoire en situant le drame sur l'autre rive.

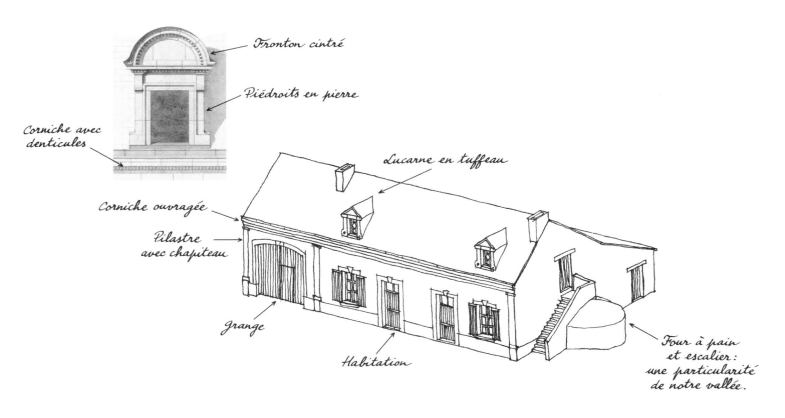

Fronton cintré

Piédroits en pierre

Corniche avec denticules

Lucarne en tuffeau

Corniche ouvragée

Pilastre avec chapiteau

Grange

Habitation

Four à pain et escalier : une particularité de notre vallée.

La maison vallerote du XIXe siècle, reproduite en plusieurs centaines
d'exemplaires : maçonnerie en tuffeau appareillé ; lucarnes dont les ornements
permettaient d'identifier l'occupant ; accès au grenier par un escalier extérieur
en tuffeau avec marches en ardoise qui enveloppent le four à pain.
La vallée aime la symétrie : les lucarnes sont dans le même axe que les portes,
les fenêtres sont à deux battants de trois carreaux chacun.

Une deuxième vie pour l'Authion

Au terme de mes trois séjours, je feuillette notes et croquis.
Dans ce Carnet "entre Loire et forêt", j'ai essayé de vous faire partager mes coups
de cœur, mes surprises et mes émotions pour les paysages, le patrimoine et l'âme
de cette chère vallée, encore trop peu connue. Il est vrai qu'en l'espace de 30 ans
la vallée a subi bien des transformations, à travers les mutations du monde agricole
et les aménagements hydrauliques. Mais voici venu le temps d'une étape décisive.
Une "deuxième vie de la vallée", disent les acteurs du Pays Loire Authion,
qui souhaitent désormais réconcilier la douceur des paysages avec le grand pôle
économique qu'est devenue la vallée. On restaurera les roselières,
on nettoiera les rives, on rafraîchira le patrimoine — du simple carrelet
de pêcheur à l'orgueilleux fronton des demeures anciennes —,
on tracera des sentiers de randonnée, on embellira les bourgs...
Pour dire encore et toujours avec le Gas Mile :
"Arrêt'vous, l'mond', faisons ein' pause."

46

Les lieux parcourus

L'illustrateur, l'auteur et l'éditeur remercient vivement
pour leur soutien à la réalisation de
Entre Loire et Forêt, Authion, Jardin d'Anjou
Le syndicat mixte Loire Authion,
Le Ministère de la Culture et de la Communication,
Cofiroute,
EDF-GDF,
ainsi que les propriétaires des sites privés qui nous ont ouvert leurs portes avec cordialité lors de ce séjour.

Ont également participé au voyage :
Mesdames et Messieurs les Maires du Pays Loire Authion,
Le Parc Naturel Régional Loire Anjou Touraine,
Le Conseil d'Architecture, d'Urbanisme et de l'Environnement de Maine-et-Loire,
Le Comité Départemental du Tourisme de l'Anjou,
La Ligue de Protection des Oiseaux (LPO Anjou).

Lettrage : François Batet

Sources bibliographiques : la revue "Moulins d'Anjou" n°59, pour la carte p.28. "Authion en Val de Loire,
16 petites randonnées", Comité d'aménagement rural de l'Authion; "Promenades littéraires en Pays de Loire",
éd. Kerdoré; Henri Boré, "Les rivières de l'Anjou"; Joseph Pineau, "Sept Contes de la Vallée", éd. Hérault.

Achevé d'imprimer le 2 juin 1998, sur papier Centaure naturel 170g,
sur les presses de l'imprimerie Setig (Angers). Photogravure : Paragraphe (Angers).

Dépôt légal : juin 1998. ISBN : 2-909051-15-3

Comité d'expansion Loire Authion,
1, bd du Rempart, 49250 Beaufort-en-Vallée.